Ana, ¿verdad?

FRANCISCO HINOJOSA
ILUSTRACIONES DE JUAN GEDOVIUS

MÉXICO

ESTE CUENTO FUE ESCRITO CON EL APOYO
DEL SISTEMA NACIONAL DE CREADORES DE ARTE

colección derechos del niño

ALFAGUARA

derecho a un nombre y a una nacionalidad

unicef

Título: *ANA, ¿VERDAD?*
©Del texto: 2000, Francisco Hinojosa
©De las ilustraciones: 2000, Juan Gedovius
©De esta edición:
  2000, Aguilar, Altea, Taurus, Alfaguara, S. A. de C. V.
  Avda. Universidad, 767. Col. Del Valle
  México D.F. C.P. 03100
  Teléfono (525) 688 89 66

I.S.B.N: 84-204-5824-4
Depósito legal: M-32.959-2000
Printed in Spain - Impreso en España por
ORYMU Artes Gráficas, S. A., Pinto (Madrid)

Diseño de la colección: Enlace

2

La Comisión de Personalidades por la Infancia reúne a importantes escritores e intelectuales de Iberoamérica y España, quienes, de forma independiente, se han comprometido en la defensa de los derechos de la infancia y la adolescencia de América Latina, el Caribe y España. Han suscrito un Manifiesto que reclama a los Estados acciones concretas y definitivas en favor de la infancia y la adolescencia.

Declaración de los derechos del niño

Derecho 3

Derecho a una identidad, a un nombre y a una nacionalidad.

Prólogo

Nada tan irresoluble como los ojos de un niño vueltos hacia nosotros. No heredaremos a nuestros hijos ni la certeza ni la quimera de un mundo feliz. Tampoco es ése nuestro deber. Nacemos en un mundo injusto, en un mundo signado por la desigualdad y el abuso, en un mundo que a veces parece no tener remedio. Y a este mundo traemos a nuestros hijos con su mirada como un reto para el que no tenemos sino escasas respuestas.

Al empezar el año, un tío de mis hijos que no se conforma con la idea cada vez más común de que el mundo no tiene remedio, llevó a la reunión familiar un globo de ésos a los que hay que prenderles fuego por dentro para hacerlos subir al cielo en medio del griterío y la euforia de quienes lo miran elevarse. Como llovía y el viento era un agravio, los niños y su milagroso tío no consiguieron que el globo abandonara la tierra. Quien sabe cómo, el papel de China que resguardaba el aire en torno a la llama encargada de alzar el globo, se dejó devorar por la lumbre. Entonces todos expresaron su desaliento con una queja a la que el tío respondió pateando la bola de fuego en que se había convertido el globo. «Si no puede subir al cielo, juéguenlo en la tierra», dijo. Los niños se lanzaron tras la pelota ardiente para golpearla de un lado a otro del patio en medio de la noche. A veces la bola corría sobre el piso trazando una raya de lumbre, otras se alzaba sobre las cabezas de los más pequeños y caía donde la alcanzaban los pies de uno de los mayores. Jamás en mi vida había presenciado un momento como ése. Bajo la lluvia, con el fuego como un juguete azaroso y efímero vi la felicidad como algo inevitable, casi como un deber y de seguro como un derecho.

Saber que en el mundo hay infamia, desdicha no nos releva de la obligación cotidiana de intentar que sea mejor. Esta certeza, tal vez antes que ninguna otra, nos toca transmitir a nuestros hijos. Si no contáramos con ella, no tendríamos respuesta para sus continuos interrogatorios, no sabríamos cómo contestar a la pregunta esencial de entre todas las que puedan hacernos: ¿por qué se te ocurrió traerme aquí?

Mil veces pudieron faltarnos las respuestas a las mil preguntas de nuestros hijos. Lo que no podemos olvidar y es nuestro deber comunicarles es que cuando decidimos compartir con ellos la existencia estabamos aceptando. Uno: que la vida es un tesoro que vale la pena y el júbilo. Dos: que el mundo, por más lleno de afrentas y pesares que lo encontremos, merece el diario afán de quienes creen que tiene remedio.

Ángeles Mastretta
Comisión de Personalidades por la Infancia

derecho a la igualdad / derecho a

echo a un nombre y una nacio

ho a

ategr

a fa

duca

la

ontr

Ana era una niña despistada.
Sus papás le decían siempre
que estaba en las nubes, que vi-
vía en la luna, que habitaba en las
estrellas.

Tan despistada era que
un día salió de su casa
rumbo a la panadería
para comprar el
pan dulce de la
cena y se per-
dió. Cruzó la
calle dando

saltitos, al llegar a la avenida esperó pacientemente a que el semáforo se pusiera en verde, pasó junto a la panadería de don Silvestre y se siguió de frente durante un buen rato.

Poco a poco, conforme avanzaba, el frío se iba haciendo cada vez más y más intenso. Tanto que no lograba cobijarse con sus propios abrazos. Justo cuando empezaban a caer los primeros copos de nieve, llegó a un lugar extraño que nunca antes había visitado.

Toda la gente vestía de verde y llevaba sus impermeables y paraguas del mismo color.

—Pero, niña —le dijo una señora—, ¿cómo es posible que salgas a la calle sin tu resbalagua y sin tu paragotas?

—Es que... —trató de decir Ana, pero le castañeteaban tanto los dientes que no pudo continuar.

—Vamos, vamos —continuó la señora, y compartió con ella su impermeable y su paraguas—, en la cuadra siguiente está mi casa. Desde allí le podrás llamar a tus papás para que pasen a recogerte. Salir a la calle sin resbalagua, con este clima, ¡qué locura!

Al llegar a la casa de la señora, el semblante de Ana cambió. El calor que emanaba de la chimenea hacía del lugar algo confortable y placentero. Todo se veía muy limpio: las paredes blanquísimas, la plata de las charolas brillante, la alfombra recién peinadita, los muebles sin una brizna de polvo.

Una niña y un niño jugaban sobre un tablero un juego que ella no conocía.

—¿Qué es eso? —les preguntó.

—¿Qué es qué? —se sorprendió el niño.

—Eso que están jugando.

—No estamos jugando: estamos haciendo la tarea. Y además, ¿por qué no tienes tu resbalagua puesto?

—¿Qué es *resbalagua*?

6

sarrollarse en condiciones dign
dad / derecho a la sanidad / de
ferer
npar
la ed
erech
und
derec

—Pues qué va a ser: la ropa que uno se pone cuando sale a la nieve.

—Ah, quieres decir el impermeable —respondió Ana.

—¿Qué es *impermeable*?

—Pues la ropa que uno se pone cuando sale a la nieve o a la lluvia.

—¿Qué es *lluvia*? —preguntó la niña.

—Las gotas que caen del cielo cuando...

—Dirás el aguabaja.

Al escuchar todo eso la señora, que estaba terminando de poner una jarra de leche en la estufa, se acercó a Ana y la miró con extrañeza.

—A ver, a ver, a ver: ¿no sabes lo que es un resbalagua?

—Sí, señora, un impermeable, acabo de enterarme.

—¡Un impermeable! ¿Dónde te enseñaron esa palabra?

—Sólo sé que todo el mundo le dice *impermeable* a los impermeables.

—¿Cómo te llamas?

—Ana —contestó con timidez.

—¡Ana! —gritaron los niños, que seguían muy extrañados con la presencia de la niña.

—¡Ana! —repitió la señora—. ¿Quién puede llamarse Ana?

—Así me llamo, se lo juro.

7

derecho a la igualdad / derecho

echo a un nombre y una nació

derecho a la educación y al juego

esarrollarse en condiciones digna

idad / derecho a la sanidad / de

rmarse en un mundo solidario

cho a recibir auxilio y protecció

—No me gustan las mentiras. Para nada. Me caen mal las niñas que andan diciendo mentiras. En este momento le llamamos por teléfono a tus papás para que vengan por ti. Y les diré que te traigan tu resbalagua y tu paragotas. Mira que salir a la calle así...

—Sí, señora, por favor, llámeles por teléfono. Yo sólo salí a la panadería a comprar...

—¿Qué es *panadería*, mamá?

—No sé, ¿qué voy a saber yo todo lo que esta niña se anda inventando?

—Es el lugar donde venden el pan —explicó Ana.

—¿La bollera?

—¿Qué es *bollera*?

—¡Basta! —gritó la señora—. ¿Cuál es el número de teléfono de tu casa?

—Es el 2 14 27.

—¡¿Qué?! ¿A quién crees que vas a engañar? Anda, dime, ¿a quién crees que vas a engañar? Los teléfonos tienen ocho números, no cinco.

—Pues ése es el teléfono. Es el único que me sé. Mi mamá hizo que me lo aprendiera de memoria. Por si me perdía.

—Ahora dime otra mentirota: ¿de dónde vienes?

—De Vico. De la Ciudad de Vico, República de Vico.

—¡Vico! Vico queda del otro lado del mar. No me digas que saliste a comprar pan a la bollera y sin más llegaste a Guadaliscorintia.

—¿Guadalis... qué? —se sorprendió Ana.

—Guadaliscorintia. No sé por qué te extraña estar aquí si dices que sólo saliste a la bollera a comprar pan ¡en Vico!, a más de diez horas en avión, ¿comprendes?

—No entiendo nada, señora. Lo único que quiero es regresar a mi casa, por favor.

—Mira, Ana... ¡Ana, qué nombre! —y sus hijos se rieron también—. Ya es muy tarde. Así que tendrás que dormir aquí. Ya mañana veremos cómo comunicarnos con tus papás. Por lo pronto, Consoligarinco y Altragarancarina te ayudarán a sacar el viejo colchón para...

—¿Así se llaman sus hijos? Parecen trabalenguas —se sorprendió Ana, que no pudo ocultar la risa que la daban los nombres de los niños.

—No entiendo por qué te dan tanta risa nombres tan sencillos y comunes. ¡A dormir! Ha sido demasiado por hoy —y Consoligarinco y Altragarancarina llevaron de la mano a la niña a una habitación del piso superior.

A la mañana siguiente Ana se asustó al despertar en un cuarto que no reconocía. Allí no estaban sus muñecas ni sus libros ni el ropero. Tampoco su mamá, que siempre la des-

11

pertaba con una canción. Y en vez de su piyama de cuadritos azules llevaba puesto un horrible camisón color verde brócoli.

Altragarancarina entró a la habitación:

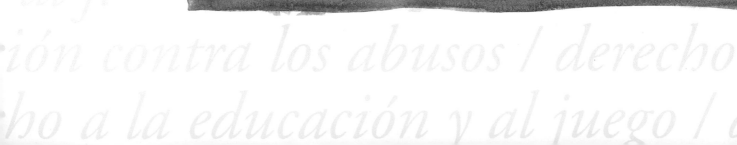

—¿Quieres ir a la escuela? Mamá salió y me pidió que te dijera que podías hacer lo que quisieras: ir a la escuela con nosotros o quedarte aquí en la casa.

—¿Y qué es mejor? —preguntó Ana.

—La escuela es un poco aburrida. Pero quedarte en la casa solita es más aburrido. No hay mucho que hacer.

—¿Me podrías prestar un resba...?

—No es necesario llevar resbalagua: ya no está nevando. Aunque sí un taparriba.

—¿Qué es un *taparriba*?

—Esto que llevo puesto —y Altragarancarina señaló la prenda.

—¡Un suéter!

—¿Qué es *suéter*? —preguntó Consoligarinco desde la puerta.

—Olvídalo —le respondió su hermana—, ¡quién sabe de dónde sacará esas palabras tan chistosas! Por cierto —se dirigió a Ana—, tendrás que cambiar de nombre. Si lo dices en la escuela todos se van a burlar.

—¿Qué tal Anatarungarecha? —propuso Consoligarinco—. Es un nombre común y corriente.

—¿Cómo dijiste?

—A-na-ta-run-ga-re-cha, muy fácil.

—A-na-ta-run-cha-re-ga —trató de repetir Ana.

Al fin la dejaron sola para que se vistiera con la ropa que Altragarancarina le había prestado. Toda era verde, verde pasto, verde oliva, verde claro, verde limón. Hasta las botas eran de un color verde perico y la diadema verde semáforo.

Guardó en la bolsa del vestido las monedas con las que iba a comprar el pan cuando salió de su casa.

Luego se vio al espejo: no se reconocía a sí misma vestida de esa manera.

Sin embargo se dijo:

—La verdad, tengo cara de Ana. Vestida de verde, pero Ana. Aunque no les guste voy a decir mi verdadero nombre. Me vale. Ana, Ana, Ana.

Al llegar a la escuela, Altragarancarina se encargó de dar el recado a nombre de su mamá: que llevaba de visita a Anatarungarecha sólo por un día. La maestra, no muy contenta, aceptó de mala gana a la niña y le pidió que entrara al salón de clase. Entonces empezaron los problemas.

—No me llamo así. Mi nombre es Ana, les guste o no les guste. Ana, Ana, Ana. Me llamo Ana. Así me llaman mis papás y mis tíos y mis amigos: Ana. Y punto.

Y como si hubiera dicho un chiste muy gracioso, todos en el salón se rieron.

—Pero qué niña tan chusca —dijo la maestra—. ¿Y podríamos saber por qué te pusieron un nombre tan..., tan..., tan raro?

—No es un nombre raro. En Vico mucha gente se llama así, Ana.

15

—¡En Vico! No me digas que eres de un país tan..., tan..., tan horrible, según me han platicado.

—Vico no es un país horrible. En donde vivo tenemos un lago inmenso, hay árboles por todos lados, y gallinas...

—¡Guácala! —gritó un niño con cara de asco—. Maestra Topolobampacracia, ¿hay ciudades que tengan árboles y gallinas?

—La verdad, no lo creo. Hace mucho que toda la vegetación y los animales del mundo se mandaron al campo. Aunque, según he leído, creo que en Vico, ¡qué feo nombre!, todavía están atrasados: tienen árboles que ensucian con sus hojas los techos de las casas, y gallinas que manchan con su popocacaciedad las calles.

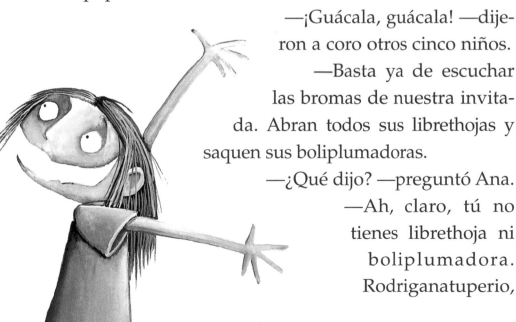

—¡Guácala, guácala! —dijeron a coro otros cinco niños.

—Basta ya de escuchar las bromas de nuestra invitada. Abran todos sus librethojas y saquen sus boliplumadoras.

—¿Qué dijo? —preguntó Ana.

—Ah, claro, tú no tienes librethoja ni boliplumadora. Rodriganatuperio, préstale a Anatarungarecha lo que necesita para la clase de multiplimáticas.

En cuanto Ana recibió de parte del niño un cuaderno verde cocodrilo y una pluma verde pistache, se paró de su silla y salió a toda prisa del salón. Desde la puerta alcanzó a decir en voz alta:

—Me llamo Ana, soy de Vico, uso impermeable y paraguas, escribo en cuadernos, me gustan los árboles y las gallinas y no quiero tomar clase de multiplamútacas.

Cuando alcanzó la puerta de salida de la escuela todavía retumbaban en sus oídos las carcajadas de los niños y la maestra. Corrió a todo lo que daban sus pies hasta que cayó rendida. Le dolían las piernas y tenía hambre.

Al recuperar el aire notó que estaba sentada sobre una piedra, al lado de una tienda. Decidida, entró a buscar algo de comer y de beber: un dulce, un pan, una galleta, un jugo, lo que fuera. Tomó un paquete pequeño, que al parecer contenía un panqué. Sacó una moneda y se la entregó al viejito que atendía.

—Caray, caray, caray, nunca había visto en mi larga vida una moneda tan rara. ¿De dónde la sacaste?

—Me la dio mi mamá.

—¿Y para qué te la dio? ¿Para jugar?

—Para comprar el pan.

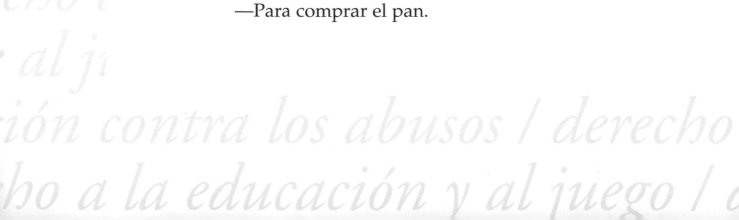

18

—Ah, qué niña tan simpática. Es más: me gustó tanto tu chiste que hasta te voy a aceptar la moneda a cambio de este delicioso pasterrosquivisco.

—Gracias, señor. Y además le voy a decir algo: me llamo Ana y soy de Vico.

—Ja, ja, ja. ¡Ana! ¡Vico! Ja, ja, ja. Pero realmente qué simpática eres. Es más, por haberme hecho reír toma este refrescajugarinesco, te lo regalo.

Antes de que el viejito se arrepintiera, Ana prefirió salir sin hablar más. Cruzó la calle y caminó una cuadra hasta que se encontró con una banca: un buen sitio donde saciar el hambre y la sed. Le quitó la envoltura al panqué y abrió el refresco. No había dado la primera mordida y el primer trago cuando un señor que pasaba por allí empezó a gritar:

—¡Policía, policía! ¡Rápido! ¡Aquí hay una niña que está comiendo en la calle! ¡Rápido! ¡Policía!

Ana no podía creer que el señor se estuviera refiriendo a ella. Estaba realmente furioso. Iba a decirle algo cuando tres policías vestidos de verde botella llegaron corriendo.

—Es cierto —dijo uno de ellos—, la niña está comiendo en la vía pública.

—Tendremos que arrestarla —continuó el policía que tenía cara de pera.

—La llevaremos a la comisaría —finalizó el tercero.

19

—Sólo estoy comiendo —trató de explicar Ana, que la verdad estaba muy sorprendida.

—Pues sí —intervino el señor—, nada más estás comiendo un pasterrosquivisco ¡en la calle! ¡Qué desfachatez! ¡Qué educación! ¡Llévensela pronto antes de que me dé más asco!

—Pero... —quiso decir algo Ana, antes de que uno de los policías la tomara de un brazo y le dijera:

—Niña, estás arrestada por ingerir alimentos y bebidas en la vía pública.

Y custodiada por los tres uniformados Ana se encaminó hacia la dirección que ellos le marcaban. Iba asustada, con los ojos a punto de expulsar una lágrima, con el corazón palpitándole a toda velocidad, sin soltar su panqué y su refresco, recordando las veces que había comido galletas y chocolates en el parque de Vico sin que nadie le dijera nada.

El jefe de los policías se enojó aún más en cuanto sus subordinados le dijeron que la niña estaba comiendo y bebiendo en la calle, a plena luz del día, y que además no le daba vergüenza hacerlo enfrente de los demás.

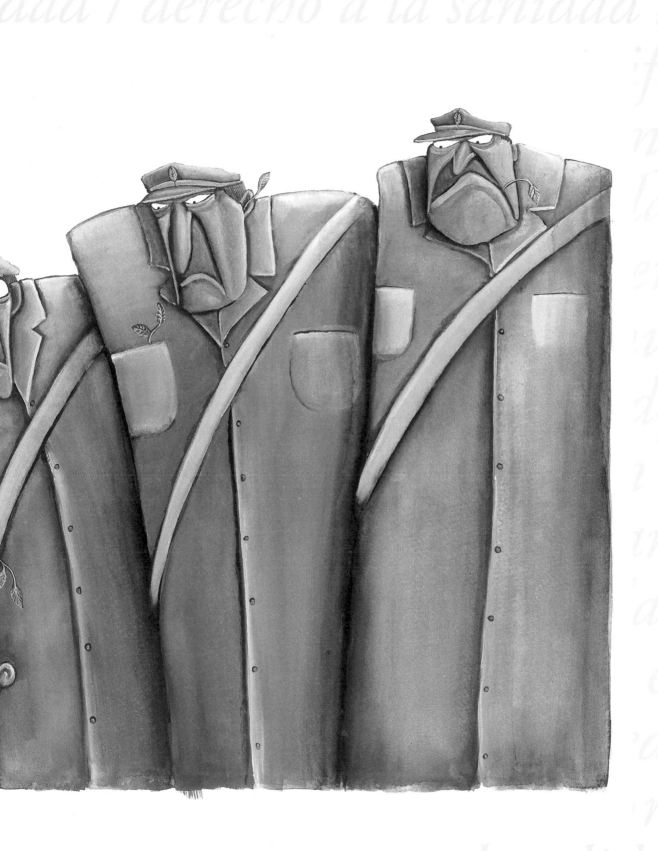

21

—¿Para qué crees que existen los comedores de las casas, eh, niña?

—Para comer —respondió Ana con una voz apenas audible.

—Entonces, ¿se puede saber por qué comías en la calle y no en el comedor de tu casa?

—¿Qué tiene de malo hacerlo en la calle? —preguntó sin entender cuál era el reclamo del policía.

—¡Qué tiene de malo! ¡Qué tiene de malo! ¿Te estás burlando de mí?

—Es que tenía hambre —trató de excusarse.

—¡Tenías hambre! ¡Tenías hambre! Para eso existen las horas de comer y para eso existen los comedores. Es así de sencillo. Tendré que imponerle a tus padres una multa muy alta por lo que has hecho, y otra por educarte tan mal. ¡Tenías hambre! Ahora dime, ¿cómo se llaman tus papás?

—Juan Pérez y Lupe Torres.

—¿Conque quieres seguirte burlando de mí? Nadie en todo el mundo puede llamarse de esa manera tan ridícula. Recuerda que soy la autoridad y debes tenerme respeto. Te voy a dar otra oportunidad: ¿cómo se llaman tus papás?

—Ya le dije, señor. En Vico son nombres que...

—¡Ah, ah, ah! Ya comprendo. Tú eres la niña que dice llamarse, ja, ja, Ana, ¿verdad?

—Sí —contestó con entusiasmo.

—Hace unas pocas horas estuvo aquí la señora Serapatanguarícuara para hablarnos sobre tu caso. Dice que saliste a la bollera a comprar pan y de pronto, ¡zas!, estabas en el centro de Guadaliscorintia, sin paragotas ni resbalagua.

—Sí, sí, ésa soy yo, y quiero que me ayude a regresar con mis papás. Deben estar muy preocupados.

—He perdido mucho de mi valioso tiempo tratando de comunicarme a tu país. Al fin lo logré hace unos minutos y, ¿quieres saber algo?

—Diga, rápido.

—No tienen reporte de ninguna niña desaparecida. No hay ningunos papás que estén buscando a su hija. Hablé también con el ministro Refunfuñatifoideo para preguntarle qué hacer en un caso como el tuyo. Y me dio las siguientes instrucciones: que la niña se quede a vivir con la señora Serapatanguarícuara y sus hijos hasta que localicemos a sus papás. Y también me dijo que, mientras vivas aquí, tendrás que ser como todos los guadaliscorintios.

—¿Por qué?

—Porque sí. Tendrás un nombre normal, deberás comer en un comedor y no en la calle, y aprenderás el himno de Guadaliscorintia para poder cantarlo, como todos, el domingo a mediodía. ¿Entendido?

23

La señora Serapatanguarícuara recibió a Ana de malhumor.

—Ya me enteré del ridículo que hiciste en la escuela. Muy mal, muy mal. Y ahora resulta que te encontraron comiendo en la calle. ¿Se puede saber por qué hiciste algo tan desagradable? ¿Tus papás no te enseñaron que el lugar donde se debe comer es el comedor?

—Pero en Vico...

—¡Silencio! No vuelvas a mencionar ese nombre tan grosero. El ministro Refunfuñatifoideo ha decidido que te quedes con nosotros hasta que tus papás aparezcan. Para ello deberás seguir algunas reglas. En pri-

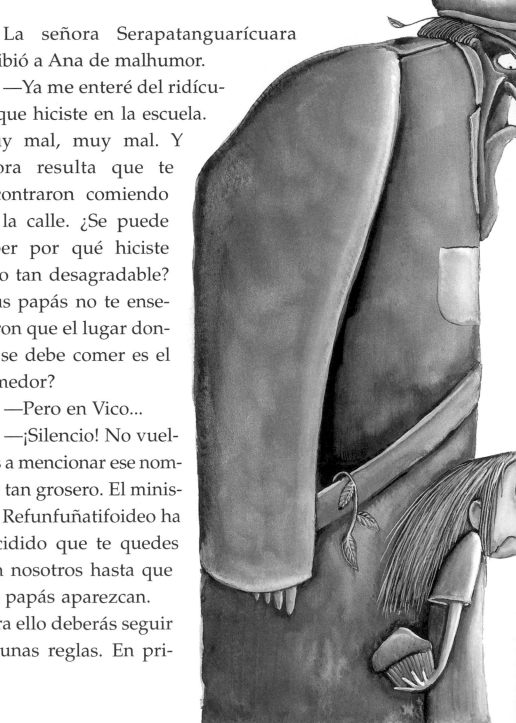

mer lugar, te llamarás Anatarungarecha, que es el nombre
más parecido a Ana.

—Pero...

—En segundo lugar, irás a la escuela, harás la tarea y te
portarás como una niña normal. Ahora vete a tu cuarto y
dile a Altragarancarina que te enseñe el himno
de Guadaliscorintia. Debes conocerlo
muy bien para que el domingo,
cuando todos los guadaliscorintios nos reunamos
a cantarle a la bande-
ra, tú puedas

25

también hacerlo. Y pídele a Consoligarinco que te enseñe su mapa, para que te enteres dónde vives ahora y dónde está tu país. ¿Queda claro?

—Sí, queda claro. Lo que sucede es que no estoy de acuerdo.

—¡Anatarungarecha no está de acuerdo! ¡Qué tal! ¡Anatarungarecha no está de acuerdo conmigo! Pues para que te enteres debo decirte que no necesito que estés de acuerdo. Aquí sólo se obedece. He dicho.

Los siguientes días fueron muy difíciles para Ana. Tuvo que aprender cantidades de palabras: en vez de mochila tenía que decir *bolsaespaldera*, los zapatos se llamaban *guantepisos*, los guantes *zapatimanos* y las pizzas *salamitortiquesadas*.

Además, tenía que comer a las dos y tres minutos en punto, irse a dormir a las ocho y veintiuno y lavarse los dientes siete veces al día, aunque no hubiera probado antes alimento. Todas las noches tenía que practicar el himno de Guadaliscorintia. Por más que quiso hacerse amiga de Consoligarinco y Altragarancarina fue imposible: ellos no dejaban de verla como una niña extraña y aburrida. Aburrida porque no le gustaba jugar a sus juegos: lavar sábanas, barrer pisos, limpiar cubiertos y tejer taparribas.

En la escuela le pasaba lo mismo. La maestra Topolobampacracia le ponía los ejercicios más difíciles de multiplimáticas. Y sus compañeros se reían de ella cada vez que decía cosas como *recreo, saltar a la cuerda, colorear, contar un cuento* y *comer chocolates*.

Todo iba de mal en peor hasta que un día tuvo una corazonada. Le dijo a la señora Serapatanguarícuara:

—¿Puedo ir yo por el pan a la bollera?

—Está bien, pero no te tardes. Tienes que estar aquí en punto de las siete veintisiete para que cenemos a tiempo.

Cruzó la calle dando saltitos, al llegar a la avenida esperó pacientemente a que el semáforo se pusiera en verde, pasó junto a la bollera de don Silvestrigandolfo y se siguió de frente durante un buen rato.

Poco a poco, conforme avanzaba, el calor le iba entibiando el cuerpo. A la mitad de una calle se quitó el resbalagua y el taparriba. Al voltear descubrió que estaba en Vico, justo de cara a la panadería de don Silvestre. Revisó que las monedas siguieran en su bolsa, entró al lugar y compró pan de dulce recién horneado.

Y de allí, a grandes zancadas, directo a su casa.

—¡Ana! Ya estábamos preocupados —le dijo su mamá.

—Es que no sabes todo lo que me ha pasado.

—Te tardaste más de media hora en ir a la panadería y volver.

derecho a la igualdad / derecho a

recho a un nombre y una nacion

ción contra los abusos / derecho

cho a la educación y al juego / d

—¿Media hora?

—Más, casi cuarenta minutos. ¿Qué pasó?

—Mamá, ¿te puedo pedir un favor?

—No están las cosas como para que pidas favores.

—Di mi nombre.

—Ana, ¿qué sucede?

—Otra vez.

—Ana, me estás preocupando.

—Una más y ya.

—¡Ana!

—Sí, Ana, ¿verdad?

Este libro se terminó de imprimir en
los talleres gráficos de ORYMU Artes
Gráficas, S.A., Pinto, Madrid, España,
en el mes de septiembre de 2000.